매일 아침
매일 저녁

매일 아침
매일 저녁

2021년 10월 7일 초판 1쇄 인쇄
2021년 10월 15일 초판 1쇄 발행

지은이 | 황영숙
펴낸이 | 孫貞順

펴낸곳 | 도서출판 작가
         (03756) 서울 서대문구 북아현로6길 50
         전화 | 02)365-8111~2 팩스 | 02)365-8110
         이메일 | morebook@naver.com
         홈페이지 | www.morebook.co.kr
         등록번호 | 제13-630호(2000. 2. 9.)

편집 | 손희 양진호 설재원
디자인 | 오경은 박근영
마케팅 | 박영민
관리 | 이용승

ISBN 979-11-90566-30-8 03810

잘못된 책은 구입하신 서점에서 바꾸어 드립니다.

* 이 시집은 2021년 경남문화예술진흥원 창작 지원금을 보조받아
  제작되었습니다.

값 10,000원

매일 아침
매일 저녁

황영숙 시조집

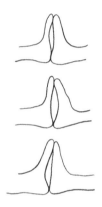

작가

온 몸으로

자서전을 쓰시던

어머니

먼 길

떠나셨다.................................
....
....

육남매 오롯이

유품으로

남겨 두고

2021년 여름 어느 날
황영숙

차례

시인의 말

Ⅰ부
그리운 꽃대의 그늘

Ⅳ부
울퉁불퉁 밤이 깊다

I 부
그리운 꽃대의 그늘

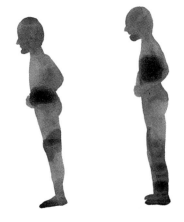

2020 해바라기

하늘 길 바닷길 막혀 오 갈 수 없다 해도
울타리 너머 저 쪽 발돋움으로 뻗치며

가슴에
들창을 내고
마주 서 있었네

여기 아침일 때 거기 밤이 찾아와
불꽃을 터뜨리며 뿌리내리고 있었네

너와 나
못다 전한 안부
씨앗으로 남아있네

매일 아침 매일 저녁

'아침 식후 30분
저녁 식후 30분'

진해 우체국 소인 찍힌 역류 성 식도염 약
어머니 손수 쓰신 처방전 태평양을 건너 왔다

불혹을 넘기도록 겉도는 이방에서
사는 일 왈칵왈칵 신물 올라 올 때 마다

몇 알씩
평정을 삼킨다

매일 아침
매일 저녁

옹알이

먼 길 가시기전 치러야할 수순처럼
의자에 곱게 앉혀 분단장 해 드렸다
골목길 돌아 나오다
말을 잃은 우리 엄마

카메라 셔터소리 눈치껏 들으셨나
가슴을 쭉쭉 펴며 마스크도 벗으신다
어느 먼 소리의 지배자가
삼켜버린 음성언어

아에이오우 선창 따라 온몸으로 뱉는 말이
목젖의 뒤편으로 수시로 감겨들어
헛웃음 자꾸 웃으신다
틀니가 삐걱댄다

혼잣말 웅얼웅얼 무성영화 같은 말
어쩌다 포착해 낸 모음의 첫 음절이
렌즈에 잔상으로 남아
종일 흘러나온다

칸나 꽃 편지

산비탈 약수터 해죽해죽 따라왔다
꽃차례 놓쳤다고 돌기 세우던 꽃
스물셋
절며 흔들려도
화두처럼 피는 꽃

어둡고 못난 자식 품어 안은 그 날부터
돌팔매 막아서며 알뿌리 심은 울타리
버텨 온
맹목의 사랑
꽃술에 번지는 안부

아비보다 먼저 가길 주술처럼 뇌다가도
반쯤 접힌 붉은 입술 겉봉을 뜯어보면
보드란
살결에 맺힌
눈물 아직 뜨겁다

칸나 꽃 답신

어이없이 부족한 나 선물처럼 받으셨죠
뻐꾸기 울음소리 소문처럼 무성해도
한사코
손사래 치며
돌탑 쌓듯 기르셨죠

못 보내서 곁에 두고 사랑으로 곁에 두고
온 생을 다 바친 '아버지'란 영화 한 편
속편을 찍는다 한들
이 보다 더
붉을까요

저 고개 넘어서면 따뜻한 집 있다지만
못 떠나는 자식 마음 선홍으로 쓰는 편지
참 오래
머뭇거리다
고백처럼 핍니다

안녕이라 할 때 까지

오래 된 연인이 색소폰 연주를 하네
한 소절 추억이 파도로 출렁이고
언젠가 문득 찾아 올
이별이 떨고 있네

목젖을 더듬는 날숨과의 혼음이
말로는 차마 못할 칼톤*으로 이어질 때
슬픔의 여린 입자들
안개로 내려앉네

두근거리는 살내로 어느 날 내게 와서
뜨겁게 속삭이다 넘실넘실 우는 사람아
그 모습 지금 그대로
당신 참, 흥건하다

*색소폰의 연주법 하나로 바람과 목소리를 함께 불어넣어 소리를 완성함

회산다리* 근처

'달셋방, 구옥 두 칸 월 20에 놓습니다'
줄 광고에도 끼지 못한 만국기 같은 벽보들
헐렁한 저 흔들림은 절망속의 희망이죠

뻗으면 손닿을 듯 나지막한 굴다리
사라진 임항선 타고 샛바람 모여 들면
좌판 위 허둥대던 시간들 물갈 걱정 없어요

열 살에야 겨우, 유치원에 간 우리 찬이
임신중독이 앗아 간 엄마 얼굴 모르지만
젖 냄새 그리운 철길에서 혼자서도 잘 놀아요

*경남 창원시 마산회원구 전통시장 주변의 다리

함박눈 오시는 날

나를 그늘 지어줄
나무가 너무 작다던
그 사람을 새긴다
뭉텅 뭉텅 무딘 날로

빛바랜
연하장 속엔
희미해진 길이 둘

금정산 뻐꾸기

청주로 이감된 후 소식 아주 끊겼네
폼 잡고 뜨겁게 한 번 살고 싶던 아버지
진달래 피고 지고 또 피는
산성을 잊었는지

아프단 말 삼키고 날개만 퍼덕이다
이 산 저 산 뼛속을 후비시던 어머니
참고 또 참아 온 하혈
흩뿌리다 꽃이 됐나

자의 반 타의 반 어린 새가 훌쩍 자라
볼모로 웃고 산다 그리움도 지친 산문
막연히 기다리다가
목메도록 울다가

팬티라이너

아흔 넘은 여자도 생리대 필요한 줄
왜 여태 몰랐을까
한 뼘이면 족한 것을

하루도
마를 날 없던 엄마
아래가
뽀송하다

자장가

잠 드신 아버지의
하늘 향한 손가락

도. 미. 솔 누르면 마디에서 소리가 나지

건반이 되살아나는
신기한 오르골의 숲

이제는 가락가락
휘어진 녹슨 건반

주름 손 두드리다 나도 함께 잠이 든다

모란꽃 이불을 적시는
시솔 레솔 반음계

몸 꽃

어머니 관자놀이에 크고 작은 물봉선화

혈 자리에 꽃 봉 맺으면 먼 길 가신다는데

모질게 부풀어 오른 화농을 참으신다

지켜 온 아흔 살림 덧나고 딱지 않고

헤집은 상처마다 핏자국 선명한데

이승의 미련을 끌며 홍자색 꽃이 핀다

2020 페이스 톡

지구촌 반대편에 홀로 갇힌 딸 아이
얼굴 환히 내 보인다
신호음 덮개 열고

날마다
무사하다는
기쁜 소식 전해 온다

서로가 서로에게 주고받는 말이 자라
몇 계절 넘도록
꽃이 피고
꽃이 지고

그리운
꽃대의 그늘
휴대폰에 잠긴다

Ⅱ부
먼 바람 다시 불어 와

안국사

상처도 곱게 아문 툇마루 골을 따라

다 닳은 승복 한 벌 허물처럼 벗어 놓고

스님은 어디로 가셨나

반쯤 열린 적막 한 채

'기다림이 발효지요, 발효가 곧 성불이지요'

그 말씀 그 뜻대로 익어가는 골짜기

해종일 장독만 닦는

불두화가 사는 집

경화역

마술사는 그 길로 돌아오지 않았다

철길을 채우는 건 멧새 떼와 마른 풀들

묘연한 그의 행방을 저들끼리 수군대고

너 떠난 레일 위를 관객처럼 서성이면

바람이 휩쓸고 간 그 사랑 참 아프다

벚나무, 언 몸을 부비는 귓불이 발갛다

회원북로

우리는 푸르게 만나
뜨겁게 달구었다
사글세 난달 부엌 바람길 드세어도
웃풍도
함께 보듬어
저릿저릿 꾸리던 집

들뜬 벽지 덧바르며
우기를 견디며
당신 기다리던 임항선 그 철길엔
흐벅진
맨드라미 꽃술
몸매가 퍽 야했다

'철거 공가' 경고문
부적처럼 받쳐 든 길
이 편한 세상 꿈꾸며 정처를 옮겨가고
사방은
다 허물린 빈민
홍매화 눈이 붉다

대답 없는 이름

어머니도 엄마도 아닌
옴마가 나는 좋아

옴마~
하고 불러 보면
메아리도 오지 않는

울 옴마
요양병원에
엉거주춤 계신다

통보리사초*

태백의 줄기거나 낙동의 뿌리거나
거룩한 혈통으로 기록될 수 있겠지만
흘러 온 나를 견디며 그냥 저냥 살고 있지

욕망의 거스러미 역린으로 곤두서면
까칠한 성깔 두엇 모래 속에 묻어두고
끓는 피 썰물에 절여 백합에게 넣어주고

수렁에 빠질수록 까치발로 버티며
물새랑 달랑게랑 율을 치며 살고 있지
먼 바람 다시 불어와 사구 하나 만들고

*바닷가에 분포하는 여러해살이풀. 열매가 통보리를 닮았다

매미

천리

물길이면

그 말씀에 이를까

만 번

도움닫기면

그 뜻을 헤아릴까

얼마나

더 사무쳐야

영취산*에 가 닿을까

*중인도中印度 마갈타국摩竭陀國의 왕사성王舍城 동북쪽에 있는 산. 석가여래가 이곳에서 법화경法華經과 무량수경無量壽經을 강講하였다 함.

겨울 사무곡

가난한 등 덧대어 굴피 집을 지킨다
천진한 웃음 몇 올 사무곡*에 날리며
세상 일 아는 바 없이
여든 해를 보내고

먹감나무 훌쩍 자라 먹물이 번진 자리
굴피 같은 손을 뻗어 진채화를 그리면
남겨 진 가장의 무게
매달린 곶감 몇 줄

혼자 늙고 혼자 지킨 산비탈 막장에서
고등어 한 도막 놓고 선산에 절 올린다
한 층 더 두텁게 내린
아버지의 산그늘

*삼척시 신기면 대평리 골짜기, 화전민들이 살던 곳

백야

–무산스님 기일에

허리 굽혀 늦저녁 네 잎 행운을 찾다가
파안대소 품이 좋아 사진보며 웃었네
한 동안 퍼질러 앉아 당연한 듯 행복해

그지없이 뵈옵다 명부전을 나서니
삼경이 지나도록 중천은 더 환하네
반사된 낱낱의 말씀 대웅전 뜰을 밝히네

해 뜨면 낮 되고 해 지면 밤 되지만
경계가 없는 길을 홀로 나선 큰 스님
또 다른 빈터를 찾아 도리천에 드셨나

집

마지막

면접에서 또 고배를 마신 날

세상과 등지려고 탕아처럼 헤매는데

밤새껏

돌아오라고

누가 나를 부른다

그라운드제로*

깊고도 아름다운 물줄기를 따라가면
그 아래 무수히 은유의 길이 있나
득음의 세계로 나갈
직소의 문이 있나

불온한 이데아에 속수무책 당한 그 날
삼천 여 아비규환 서럽게 묻어두고
폭포는 터무니없이
흘러왔다
흘러간다

너와 나 손 놓쳤던 허공의 끄트머리
견딜 수 없는 기억을 이름으로 새겨놓고
한 동안 묻어두었던 말
보고싶다
솟구친다

*폭발이 있었던 지표의 지점을 뜻하며 9·11 테러로 폭파된 뉴욕세계무역
센터 자리에 거대한 인공우물이 만들어졌다

봄봄

뚱딴지 뻗은 자리
옴두꺼비 한 마리

두 눈알 일발 장전 방아쇠 당길 태세

나
그만
혼비백산 하네

눈겨룸 이제 그만

송현이*

삶도 죽음까지도

종살이는 서러워라

정강이 물러앉은 열여섯 꽃송이

생목숨 순장된 비명

메아리도 서러워라

진토 되어 지나도록

순한 뼈는 살아있어

수습된 마디마디 팔등신이 되었네

빈 목숨 소장된 채로

꽃 피울

다시 천년

불일암

버려라 하나 씩
얽히지 말라
하시며

말조차 버려야 했던
새 한 마리
날아가고

댓돌에
놓인 고무신

묵묵부답
고우시다

III부
다시 돋는 사랑아

바랭이

물썬, 풀 비린내 예초기가 지나간 날
치골만 남겨진 채 지워진 오장육부
늦깎이 합평 때처럼 죄목이 낭자하다

가물어 고픈 들녘 갈필로 움켜쥐고
댕강댕강 긴 모가지 수 없이 참수당한
아득한 뿌리를 모아 필생의 꿈을 꾼다

썼다가 또 지우는 육필의 업연으로
흙 한 줌 바람 한 줌 문질러 시를 쓴다
갑골문 이랑을 따라 흔들리는 비망록

견성암, 참꽃

십년 세월 선방 살이
아이 넷을 키웠더니
사람들은 그녀를 여인으로 보았다

온전한
보살행으로
피고 지고 수 십 년

살펴 가꾸어 온
업둥이들 보내놓고
절집마저 비워 둔 이른 봄날 언덕에

무연고
유골을 묻은
그녀가 다시 핀다

46

**

기도가 간절하면
촛농도 꽃 핀다던데
치우친 마음들이 심지를 치고 간다

나는 왜
널 지우지 못해
지금껏 흔들리나

토끼풀

덮는다고 덮이더냐
지운다고 지워지더냐

계절이 돌아오면 어김없이 찾아와

내 안에
소년이던 너
풀꽃으로 앉아 있네

파내고 파내어도
다시 돋는 사랑아

네 뿌리가 차지한 내 작은 영토에서

나는 또
헛된 호미질로
아프게 너를 도려낸다

넝쿨 장미

허스키로 피어난다
줄줄이 앞 다투어

객혈로 죽은 마술사
홑청에 묻은 그것

철 지난 울타리에서 되살아 난
생의
비의悲意

화석처럼 엎드려

거름포대 걷어내자 도드라지는 동면
기우뚱 쏠리어도 꼼짝 않는 옴두꺼비
웅크린 축생의 잔등 덤불로 덮어주었다

어느 날 느닷없이 무정형의 모습으로
오십 포대를 견디며 틈새를 메워 온 너
세상을 버티는 힘이 기울기에 있었구나

한 몸 들일 데 없어 막돌로 엎드려도
제 자리 잡고 앉아 한 생을 보내다 보면
천년을 무늬 새기며 견딜 수도 있겠다

양지 뜸

손바닥 만 한 햇살 내린
등산길 한 모퉁이

길고양이 네 마리가 엉덩이 바짝 붙이며

춥다고
오래 견디자고
몸을 서로 나눕니다

비닐 끈 붕대

태풍에 찢어졌다고, 많이 아프겠다고
차오를 그 때 까지 견디어야 한다며
날개 뼈 바짝 당겨서
요지부동 묶어 주시던

다시 살아 꽃 피우고 열매 맺고 익히라고
붉어진 손 마디마디 단주를 굴리시며
괜찮다 괜찮아질 거야
다독거려 주시던

어머니 말씀인 듯 사과 향 가득 핀다
저토록 달라붙은 비닐 끈 내막 사이
용하게 비집고 나온
목숨이 참 뜨겁다

불일암 2

법당 하나 우물 하나
얼기설기 움막 하나

지게 하나 해우소 하나
그 위에 바람 한 자락

이른 봄
후박나무 아래

뿌려진 향기
한 줌

정원

언 가지 비집고 돋은 새순처럼 살고 싶다
새하얀 몸부림 목련의 날개 짓으로
내 평생 이 뜨락에서 꿈꾸며 살고 싶다

굳은 살 하나쯤 없는 이 있을까만
긴 세월 우러러 하늘만 쳐다보다
스스로 가진 이 선물 옹이가 자랑스럽다

오랜 공정으로 꽃 피울 가지 위에
선연히 심줄 솟고, 먼 산에 아지랑이
뜰 안에 가득한 온기 천지가 환하다

참 붉다

만평 소설 잠 드셨다 미륵산 산기슭에

서희도 길상이도 다 놓고 떠난 길에

누군가 뿌려두고 간

베고니아 꽃잎 몇 장

엄마의 방

영상통화 그 마저도 끊어진지 이미 두 달
'집에 가자, 집에 보내줘' 보챈다는 우리 엄마
생이별 견딜 수 없어 아픔도 잊었을까

'야산을 개간하여 산두나락을 심었다'
'아이들 배 불리려고 죽기 살기로 심었다'
일기장 넘길 때 마다 유언처럼 박히는 글

만약에 정말 만약에 그 날 올까 두려운 데
수의며 사진이며 학당의 일기장이며
칠남매 얼러주던 방 우묵하게 피어 있다

쪽물 들던 날

그날따라 무지개 뜨고
별 총총 밝아서
사인하던 접시꽃 시인 그 서탁 언저리엔
눌러 쓴
흔적이 점 점
은하처럼 고였으리

'흔들리지 않고 피는 꽃이 어디 있으랴'*
풀 향기 이슬 머금고
손수건에 스민 마음
안국사
마당 귀퉁이
저 혼자 흔들렸으리

*도종환 시인이 사인을 해준 손수건에서 차용

봄봄 2

보도블록 작은 틈새 민들레 꽃 한 송이

숨겨둔 금 열쇠처럼 반짝하고 내다보네

'발아래 조심하세요'

함께 핀 배려 한 줄

흉터

불혹에 유학을 떠난 그의 방이 아프다

실업의 쓰린 상처를 달래주던 벽지들

견디던

청춘의 궤적

울퉁불퉁 밤이 깊다

11월

마약 같은 월급에 영혼을 팔던 시간

버티고 버티다가 무서리 내리고

다혈질 대표의 얼굴

홍시보다 붉었다

'함께 갈 수 없습니다'

음성 한 통 받아 들고

노동지청 가는 길 햇살도 야속한 길

그늘이 너무 두껍다

뭇 생존의 발자국

베이비박스

문 닫은 태권도장
일그러진 신발장
오래 된 운동화에 박새, 알을 낳았다

날고 또
날아 보아도
들일 데 없던 신생

꽃샘바람 이겨내고
몸을 푼 미혼 어미
올 풀린 털옷을 당겨 요람을 감싸 준다

끊일 듯
끊이지 않는
사랑
그 참 따뜻한

서운암에서

홀린 듯 방문 열고 무작정 따라 나섰네
어디로 가는 건지 당도할 곳 모르고서
묻지도 답하지도 않고 그냥 따라 나섰네

먼 생의 인연인 듯 다시 만난 연인인 듯
도량석 염불가락 되감아 다시 풀며
쓸쓸한 어둠을 길러 새벽을 걷는 스님

맑아서 더욱 슬픈 곡조의 끄트머리
별 하나 어둠 속에서 더 푸르게 빛났네
여태껏 잡고 살아온 허깨비가 보였네

벼룩시장 끝물

가난한 천막동네 왁자한 어느 봄 밤
주거니 받거니 더운 체온 나누는 밤
꽃 빵을 만드는 새내기
공탁금은 채웠는지

생각난 듯 비 오고 변심한 듯 바람 부네
머리에 화관 쓰고 호객하던 벚나무
한 열흘 붉은 일생이
서둘러 길 떠나네

가판대 하나 없이 난달에 펼친 남자
부르르 한기에 떨며 낡은 몸 옹그릴 때
연분홍 꽃 밥이 내려
헐벗은 남근 덮어주네

오브제

탈 없이 뚜벅 뚜벅 교대시간 올 텐데
뜰수록 감기는 눈, 멀어지는 밥물소리
한 나절 다 지나도록
그저 그리운 집

터널 지나 또 터널 교대 없는 세상 속으로
7호선 아득한 갱도 영생의 꽃길인양
무사고 오십만 킬로
별을 찾아 나서던 길

대공원 승무사업소 화폭을 배경으로
허기를 달래려던 가방하나 남긴다
사발면 귤 대 여섯 개
낡은 지갑
생수병 하나

* 2017년 1월 1일 서울 지하철 7호선 기관사가 급성 뇌출혈로 생을 마감
했다

슬픈 일화

간발의 차이로 다발 째 쏟은 세포

마음 저편 마음까지 지워지고 없는데

기억의 모서리마다

굶주린 아들 생각

새댁처럼 조용조용 앞치마를 두르고

이른 새벽 노모는 리모컨을 삶는다

출근길 서두르는 아들 먹여 보낼

한 끼 밥

샛별

먼 길
혹여 잘못 들까
하늘 등대
밝혀뒀나

스카이라인 무시한 채
룸살롱 돌던
아버지

뜨겁게 피우신 몸 꽃
경부암으로 가신
엄마

숨바꼭질

'유기 견을 포획합니다'
현수막이 내걸리자
공무원 열 댓 명이 포획 틀을 설치했다
드론이 눈에 불을 켜고 그들을 찾아 나섰다

쫓고 쫓기는 자의 사나흘 잡기놀이
샤브샤브 거리 지나 컨테이너 돌고 돌아
막다른 골목길에서 사무치게 살고 싶었다

숨 가쁜 무연고자의 퇴로를 열어주며
울울창창 대숲이 무한정 흔들렸다
아무 일 없었다는 듯 새들 높이 날았다

나무보일러

들숨의 깊이만큼 날숨도 힘들었나

고래를 넘나들던 꽃불도 잠시 잠깐

바람길 되돌아 나온

온기가 매캐하다

짐 모두 내렸다는 부음처럼 닭이 울고

한 동안 끓어오르던 마음 집이 고요하다

그 사람

숯 검댕이 그 사람

아직 못다 읽었는데

공치는 날

나이 마흔
일용직
일당으로 사는 그를

쉰
예순, 일흔 되도록
시험만 치를 거냐

공부는 언제 할 거냐
채근한지 엊그젠데

일점 칠 평 고시원에서
보내온 마지막 문자

"오늘은 비가 와서 일 나가지 않아요"

불길에 휩싸인 쪽잠
차라리
폭우였으면

승용차에 관한 기억

차 문짝에 묶여 있다 떡 봉지와 지폐 몇 장

폐쇄회로 돌려 보니 이웃집 노모시다

얼마나 기다렸을까

담 너머 엔진 소리

집 나간 지 십 여 년 째 막내 소식 묘연한데

깡그리 지워져도 지워지지 않는 흔적

피붙이 타고 다니던

빨간색에 꽂힌 노모

출국전야

소문도 무성하던 내 사십년 지기
목숨 값도 못 받고 루마니아로 간다네
골리앗 삼 천 이 백 톤
갈가리 뜯기는 밤

굴 채취 그 일마저 비오는 날은 공치고
콩나물국 미나리 무침 조용한 식판 앞에
누구도 울지 못한다
성동조선 식구들

갯벌이 만조를 불러 수평을 다잡는 밤
물그림자에 비치는 외팔이 위태롭다
허공에 추를 흔들며
크레인이 우는 밤

경칩 무렵

참기름 집 셔터 구멍에 연초록 떡잎 두 장

천지사방 시멘트 길 모래 한 줌 없는데

누군가 흘려놓고 간

이름 모를

씨앗 하나

익숙한 한뎃잠도 더러 힘들었다며

홀로 젖고 마르던 그가 환히 웃고 있다

뜨겁게 살아가야지

의도치 않은

생일지라도

귀로

탱자나무 울을 따라 고요가 고이는 길

유리창에 입김으로 '사랑해' 손 글씨 쓰는

바람 속 담장 없는 집 그 집으로 나는 간다

달콤한 지원금보다 폐업신고 선택한 날

당연한 결정에도 어깨가 처지는데

갈림길 유혹을 건너 찾아드는 여좌천로

드럼통 기름 눈금 한 뼘 남짓 남았지만

닳고 닳더라도 사나흘은 버틸 수 있는

창틀에 성에 꽃송이 도란도란 피는 집

멀칭

살려고
살아보려고
발버둥치는 너를

숨통을 틀어막아
완전히 덮어씌운 날

너 죽고 내가 살아도
자꾸
뒤가 켕긴다

장손

형제는 금일봉 씩 위로의 말을 건넸다
복수 차서 불룩해진 그를 문안했지만
적재한 배의 무게는 몇 마디뼈로 정리됐다

아우들 생각하면 뒷덜미가 후끈한데
논이며 밭이며 선산이 종교였으니
욕심이 없었다고는 차마 말 못하겠다

서너 번 돌아가며 흙 몇 줌 뿌려주고
몇 다발 꽃과 눈물로 그의 생은 끝났다
봉분도 비문도 없는 오동나무 사각 한 채

촛불의 시간

당신의 숨결 따라 후회 몇 번 다녀가고
수 없이 죽었다 다시 태어날 동안
몸속에 우물 하나가 말랐다 또 생기고

한가득 은밀하게 불춤이 끝날 때까지
나는 오직 둥글게 몸을 감싸 안겠네
바람의 솔기를 꿰매어 안감을 다독이겠네

고백하지 못했던 수많은 내가 녹아
흔들린 시간만큼 가라앉아 굳을 무렵
한 송이 밀랍꽃으로 내생來生을 피우겠네

양각

거칠고 모난 성정 나무망치로 달랜다

넓적한 칼날에 밀려나는 즐거움

지녀 온 습한 생각들 뿔뿔이 헤어진다

도려내고 남은 자리 보이지 않는 나를 찾아

들고 난 기억들의 잔주름을 어른다

무심코 시작된 내가 몽타주로 자란다

비오는 날

사마귀 한 마리가 차 속으로 들어왔다

외로운 산고 견디다 찾아든 보금자리

낯선 곳 홀로 버티는

난간이 아득하다

어디로 가야 하나 각본도 없는 오늘

생각의 미로 따라 바퀴는 굴러가고

지상의 모든 언어가

너와 나를 적신다

못대가리

펜치를 잡은 그 일
그것이 문제였다
두 손으로 마음껏 못을 잡아 당겼는데
애꿎은 앞 이빨 두 개
사리처럼 쏟아졌다

전동 드릴 전동 드릴 노래처럼 불러도
타점이 늘 서툰 그는 망치로 자기를 쳤다
삐딱한
대가리들이
갸웃 갸웃 웃었다

나에겐 늘 남자였고
남자이고 싶은 그가
이제는 무사처럼 세라믹 칼을 찼다
두 개의 못대가리가
고관절에서 반짝인다

달마중

개찰구 인파 틈을
잽싸게 빠져나오는

눈 감아도 다 보이는
보름달
아내 얼굴

텅 비던 오늘 하루가
당신 하나로
가득하다

집비둘기

어쩌다 들인 몸을 십 수 년 째 살고 있다

퍼덕여 볼 때 마다 날개는 퇴화되어

십 사층 난간을 돌며 길들여지고 있다

스스로 나를 가둔 허공에 발길질하며

차원을 넘기 위해 도움닫기 해 보지만

날마다 재어보는 하늘 수심이 너무 깊다

배웅

—안녕, 속헹씨*

간수치 높다 해도 아프단 말 못했다
머리맡에 꽃 한 송이 각혈로 피웠지만
무심한 샌드위치패널
바람만 드세었다

영하 이십 도를 홀로 견디다가
다시 받을 취업 비자 꿈꾸며 잠이 들 때
문 밖엔 들개 한 마리
서성대다 돌아갔다

차단기 내려갈 줄 미리 짐작했을까
입은 옷에 목도리 까지 필사적으로 버티던 방
남겨진 캄보디아행 티켓
희망처럼 펄럭인다

*한국을 희망의 땅으로 알았지만 한파 주의보 속에 기숙사로 불린 비닐
하우스에서 숨진 채 발견된 캄보디아 여인

석동 1402호*

갤러리 문을 열면 물소리가 들린다
힘줄이 느슨해진 할머니와 어머니와
아직은 힘이 팔팔한 오빠의 오줌소리

실개천으로 흐르다 강이 되어 만난다
다시 흘러 바다로 가는 먼 먼 여행길을
서로가 한 몸이 되어 뜨겁게 출렁인다

좋아요 엄지로 스위치를 누르면
한 동안 머물렀던 프레임 속 이야기들
누드 빛 벽면을 따라 환하게 걸려있다

* NURTURart,Brooklyn,NY에 전시된 아티스트 강경은의 개인전 제목

마지노선

어물전 큰 이모가 장어 목을 딴다
잘 드는 무쇠 칼의 어슷한 애무 끝에
푸르고
까만 눈알 하나
단말마로 불거진다

내장 다 쏟고도 살아 꿈틀대는
생의 마지막이 눈꺼풀 근처라면
한 방에
훅 갈 수 있는
그런 사랑 없을까

촛불의 다비식을 위한 탐구

이달균(시인)

나를 그늘 지어줄
나무가 너무 작다던
그 사람을 새긴다
뭉텅뭉텅 무딘 날로

빛바랜
연하장 속엔
희미해진 길이 둘
－「함박눈 오시는 날」전문

막을 열며 － 부모님께 바치는 헌정 시

가끔 황영숙 시인과 만나면 대화의 시간은 길어진다. 그
녀가 풀어놓는 이야기의 소재는 풍성하다. 활달한 성격도
성격이지만 예술 전반에 대한 관심과 애정이 많기 때문이
다. 본인이 천착하고 있는 시조는 물론 상상력의 한계를 뛰
어넘는 최근 젊은 시인들의 시, 무라카미 하루키의 소설,

팝아트나 개념미술, 퍼포먼스 등으로 옮겨 다니기도 하고, 절간에서 갑자기 뉴욕으로 건너뛰기도 하는 등 퍽 자유롭다. 2011년 월간《유심》신인상으로 등단하였으니 문단활동은 10년 정도가 되었다. 등단 훨씬 이전부터 문학을 꿈꾸었으니 오래 갈무리해 둔 것들이 봇물처럼 터져 나오는 것은 당연한 이치다. 거의 8할은 내가 듣는 편이지만 그로 인해 상식이 넓어지는 계기가 되기도 한다.

그래서일까. 이번에 선보이는 시조 60여 편은 잘 짜여진 연극 한 편 같다. 5부로 나뉜 작품들은 작은 주제로 연결된 서사적 구도가 뚜렷하다. 그렇게 배치한 것은 나름 다 이유가 있을 테고 이 글을 쓰다 보면 자물쇠는 풀릴 것이라 여겨진다.

그녀의 독백을 따라 문을 열고 들어가면 희미한 불빛이 새어나온다. 그리고 곧바로 막이 열린다. 무대 위엔 고인이 된 아버지와 건강이 썩 좋지 않은 어머니(지난여름 별세), 손녀인 듯 다소곳이 앉은 3대가 등장한다. 주인공인 황영숙 시인은 아직 무대에 오르지 않았다. 작은 조명 하나가 객석에서 조용히 시를 읊조리는 시인을 비춘다.

그녀가 그린 연하장 속엔 희미해진 길이 둘 보인다. 하나는 먼저 가신 아버지의 길이며 다른 하나는 기억의 강을 건너다 물끄러미 바라보는 어머니의 길이다. 첫 무대를 여는 「함박눈 오시는 날」은 부모님께 바치는 헌정 시 치곤 단아하다. 애틋한 딸(시인)에게 아버지가 지어준 꿈의 집에서 아버지는 커다란 느티나무이고 싶었지만 기원만큼 나무는 울창하지 않았다. 그래서 쉬어갈 그늘도 작다며 늘 안타까워하셨다. 그 아버지께 바치는 사부곡으로 연극은 시작된다.

제1막- 우리 시대의 자화상

'아침 식후 30분
저녁 식후 30분'

진해 우체국 소인 찍힌 역류 성 식도염 약
어머니 손수 쓰신 처방 전 태평양을 건너 왔다

불혹을 넘기도록 겉도는 이방에서
사는 일 왈칵왈칵 신물 올라 올 때마다

몇 알씩
평정을 삼긴다

매일 아침
매일 저녁
-「매일 아침 매일 저녁」 전문

어머니의 하루는 또 그렇게 건너간다. '태평양을 건너',
'겉도는 이방' 등에서 보면 가족 중 누군가가 태평양 건너 먼 이국에 있다. 어머니는 역류 성 식도염을 앓는 환자다. 그런데 '왈칵왈칵 신물 올라'의 생략된 주어는 어머니가 아니라 타국에 있는 누군가로 지칭된다. 결국 평정의 약을 삼키는 이는 어머니이기도 하고 먼 이국에서 어머니를 그리워하는 가족 중 일원이기도 하다.

한 사람의 아픔이 어찌 혼자만의 아픔이겠는가. 그리움이란 이렇듯 먹은 음식이 역류하며 목이 메는 현상을 겪는 것과 같은 것이다. 한국의 어머니들은 대부분 그러하다. 누워도 편안하지 않은 불안정한 자세 때문에 위장에 고인 내용물이 식도 가까이로 역류하는 역류 성 식도염을 앓는 경우가 허다하다. 이 작품은 주인공인 환자 본인은 말할 것도 없고, 옆에서 바라보는 이도, 먼 타국에 있는 이도 함께 역류 성 식도염을 앓는 모습을 보여준다.

이 시대를 살아가는 우리는 대부분 순환장애를 앓는다. 소통 구조는 날로 진화하는데 사람 간 불통의 시간은 길어진다. 그럴 때마다 평정의 알약을 삼켜보지만 그 마저 역류를 경험하곤 한다. 표제 시 「매일 아침 매일 저녁」은 한 가족사에 관한 이야기를 넘어 이 시대를 사는 모든 이들의 자화상으로 읽힌다.

먼 길 가시기 전 치러야 할 수순처럼
의자에 곱게 앉혀 분단장 해 드렸다
골목길 돌아 나오다

말을 잃은 우리 엄마

카메라 셔터소리 눈치껏 들으셨나
가슴을 쭉쭉 펴며 마스크도 벗으신다
어느 먼 소리의 지배자가
삼켜버린 음성언어

아에이오우 선창 따라 온몸으로 뱉는 말이
목젖의 뒤편으로 수시로 감겨들어
헛웃음 자꾸 웃으신다
틀니가 삐걱댄다

혼잣말 웅얼웅얼 무성영화 같은 말
어쩌다 포착해 낸 모음의 첫 음절이
렌즈에 잔상으로 남아
종일 흘러나온다
- 「옹알이」 전문

　치매를 앓는 어머니와 가족 간의 교감을 실감나게 표현
한 작품이다. 화자는 이미 말문을 닫은 어머니와 간절하게
대화를 시도한다. 처음엔 웃음으로만 대답하시다가 시간
이 지나면서 조금씩 입을 여시는 어머니. 그 모습이 흡사
옹알이를 하는 듯하다. 눈에 넣어도 아프지 않은 대상과의
교감으로 어머니의 말문은 조금씩 트이게 된다.

'의자에 곱게 앉혀 분단장 해 드렸다'는 구절은 이승과 저승의 경계에서 자식이 해 드리는 마지막 예의다. '아에이 오우 선창 따라 온몸으로 뱉는 말'은 말을 잃은 어머니가 처음으로 말을 불러내는 제의처럼 숙연하다. 하지만 '헛웃음 자꾸 웃으'시며 '틀니가 삐걱' 댈 뿐이다. 비록 '혼잣말 웅얼웅얼 무성영화 같은 말'이지만 얼마나 아름다운 광경인가. 외손녀는 이런 광경을 카메라로 담고, 동영상으로 찍어 훗날 이를 추억하고자 한다.

임권택 감독의 영화 '축제'에서 할머니는 나이를 손녀에게 나눠주면서 아이가 되어가고, 손녀는 할머니의 세월을 얻어 성장해 나가는 모습이 손에 잡힐 듯 그려진다. 할머니와 손녀가 교감하는 이 부분만큼은 애니메이션으로 처리하여 영상을 동화적으로 연출한다. 이 4수의 시조가 그 영화 한 편의 감동과 진배없다.

화자는 시인 본인이지만 그 교감의 대상은 시인의 어머니와 딸이다. 다시 말해 외할머니와 외손녀의 시간을 객관화시켜 그려내고 있다. 이 아름다운 고통의 순간을 견디며 딸은 시조를 짓고, 외손녀는 이 광경을 영상으로 녹화하여 자신이 추구하는 미술 세계로 승화시킨다. 제목은 둘 다 「옹알이」이다. 이 교감의 주체는 미국에서 활동하는 개념 미술 화가인 셈이다. 3대가 그려나가는 가족사진이 이채롭다. 이 글의 서두에서 시인의 대화가 태평양을 건너뛰고 팝아트로, 또는 개념미술로 활발히 옮겨가는 이유가 궁금하다고 했는데 그 퍼즐이 맞춰지는 부분이 바로 여기에 있다.

시조의 기본 음수율인 3장6구에 갇히다 보면 자칫 시를 잃을 수 있다. 음수율은 지키되 소재와 주제의 자유 자재함은 언제나 견지해야 한다. 좋은 시조 창작을 위해서는 반드시 잊지 말아야 할 부분이다. 다행히도 황영숙 시인의 시적 환경은 활짝 열려 있기에 미래가 밝아 보인다.

제2막 – 기다림, 발효의 시간

상처도 곱게 아문 툇마루 골을 따라

다 닳은 승복 한 벌 허물처럼 벗어 놓고

스님은 어디로 가셨나

반쯤 열린 적막 한 채

'기다림이 발효지요. 발효가 곧 성불이지요'

그 말씀 그 뜻대로 익어가는 골짜기

해종일 장독만 닦는

불두화가 사는 집
- 「안국사」 전문

　다시 조명이 켜지고 제2막이 시작되면 무대는 적막하다.
1막에서 보이던 가족 간의 사변성에서 벗어나 언어는 안으
로 조이고 서정성은 더욱 짙어간다. 시조의 보법은 유장할
땐 유장하게, 단아할 땐 단아하게 호흡을 고를 줄 알아야
한다. 이 시는 후자를 택한다. 말을 줄이는 대신 행간을 늘
여 상상력의 진폭을 넓혀준다.
　시인은 경남 고성에 다소곳이 앉은 절 '안국사'를 자주
찾는가 보다. 하긴 안국사가 아니라도 좋다. 허허로운 어느
날 마음 부려놓을 절간 어디라면 어떤가. 불두화는 흐드러
지게 피어 있고, 아무렇게나 승복을 벗어놓은 스님은 보이
지 않는다. 황동규 시인은 「오어사에 가서 원효를 만나다」
란 시에서 '원효가 없는 것이 원효 절다웠다'라고 썼다. 그
렇듯 '반쯤 열린 적막 한 채'의 절간은 비어있어 더 좋다. 절
에 닿자마자 범종 소리를 듣고 틀어 놓은 스피커의 염불 소
리를 듣는다면 속세와 다를 게 무엇인가. '기다림이 발효지
요. 발효가 곧 성불이지요' 이 말 외에 더 할 말이 없다. 절
도 익어야 절이고 스님도 익어야 스님이다. 절간도 스님도
시도 익어서 서로 발효되고 있다.

　천 리

물길이면

그 말씀에 이를까

만 번

도움닫기면

그 뜻을 헤아릴까

얼마나

더 사무쳐야

영취산에 가 닿을까
 - 「매미」 전문

  '매미'도 다 울고 나면 성불에 이를까. 대충 일별해 보아
도 '견성암', '불일암', '서운암에서'등 절을 노래한 시들이
여럿인 걸 보면 시인은 불자佛子인 모양이다. 하긴 무슨 상
관이랴. 이 시조는 응축에 응축을 기하려 노력했다. 시조의
기본이 단수라고 하지만 사실 단수가 더 어렵다. 습작시절

단수에 얽매이다 시조와 작별하는 사람들이 더러 있다. 고무신에 담긴 물을 보면서 파도와 수평선을 떠올리게 한다면 분명 좋은 시조이리라. 그냥 고무신에 고인 물에 불과하다면 군이 시로 써야 할 이유가 있을까. 긴 이야기를 45자로 줄이면 단수가 되고 더 줄이면 속담이나 격언이 된다. 그러므로 축약된 단수일수록 더 많은 뜻을 함의하고 있을 때가 있다.

매미는 해종일 운다. 침묵과는 거리가 멀다. 그러나 그 신산한 울음의 끝엔 고요와 적막이 있다. 시인은 울어서 까맣게 타버린 매미를 통해 영취산을 떠올린다. 물론 원래 지명은 인도에서 유래되었다. 시인은 작품의 말미에 "중인도 마갈타국의 왕사성 동북쪽에 있는 산으로 석가여래가 법화경과 무량수경을 강한 곳."이라고 친절히 주를 달아놓았다.

영취산은 우리나라 곳곳에 있다. 그 산기슭엔 어김없이 사찰이 있다. 여러 사찰 중에서도 대표적인 곳이 '통도사'다. 시인은 통도사 경내에서 매미 울음을 들으며 무아無我를 경험했나 보다. '천리 물길'과 '만 번의 도움닫기'처럼 매미는 운다. 생태의 관점이 아니라 깨달음에 이르는 주체로서의 매미를 노래한다. 무엇을 이루고자 하는가. 짧은 한 주일을 위해 7년을 기다리며 발효된 삶은 고귀하다. 우리는 한 번이라도 그렇게 사무치게 울어 본 적이 있었던가. 다 울고 나무에서 떨어질 때, 매미는 오욕칠정에서 벗어나 열반에 든다. 한갓 미물이 완성한 삶, 그런 후회 없는 삶을 살기란 또한 얼마나 어려운가.

제3막 - 몰입의 시간, 시조를 빚다

3막은 장인으로 가고자 하는 몸부림을 보여준다. 무대 조명은 꺼지고 주인공을 비추는 작은 불빛 하나가 고통의 시간을 비춘다. 관객도 함께 몰입의 순간을 맞는다. 역지사지易地思之 하며 드러난 모는 깎고, 웃자란 풀들은 다듬으며 정원, 또는 마음의 텃밭을 가꿔간다. 초심으로 돌아가서 진정한 시인이 되고자 다짐하는 의지를 드러낸다.

거름포대 걷어내자 도드라지는 동면
기우뚱 쏠리어도 꼼짝 않는 옴두꺼비
웅크린 축생의 잔등 덤불로 덮어주었다

어느 날 느닷없이 무정형의 모습으로
오십 포대를 견디며 틈새를 메워온 너
세상을 버티는 힘이 기울기에 있었구나

한 몸 들일 데 없어 막돌로 엎드려도
제 자리 잡고 앉아 한 생을 보내다 보면
천년을 무늬 새기며 견딜 수도 있겠다
- 「화석처럼 엎드려」 전문

이 작품은 의미 면에서도 새겨볼 부분이 있지만 형식면에서도 안정적인 보법을 취한 가작이다. 구와 구의 매듭이 잘 이뤄졌고 장과 장, 수와 수의 구별도 좋다. 첫수에서 두꺼비와 만나는 장면을 연출하고, 둘째 수에서 '세상을 버티는 힘'으로 의미의 확장을 꾀한다. 그리고 마지막 셋째 수에서 두꺼비와 시인을 인연법으로 연결시키며 하나의 서사를 완성한다.

다음에 인용하는 작품은 한 수의 시조를 완성하기까지의 고통스러운 작업을 시화하고 있다. 한편의 완성작을 내기 위해 진지하게 원고지 앞에 앉은 자신을 드러낸다. 이런 작업을 직접적으로 표현한 작품이 「바랭이」다.

물썬, 풀 비린내 예초기가 지나간 날/치골만 남겨진 채 지워진 오장육부/늦깎이 합평 때처럼 죄목이 낭자하다//가물어 고픈 들녘 갈필로 움켜쥐고/댕강댕강 긴 모가지 수 없이 참수당한/아득한 뿌리를 모아 필생의 꿈을 꾼다//썼다가 또 지우는 육필의 업연으로/흙 한 줌 바람 한 줌 문질러 시를 쓴다/갑골문 이랑을 따라 흔들리는 비망록
  – 「바랭이」 전문

시란 무엇인가, 아니 시인이란 누구인가. 시로 업業을 삼을 순 없지만 시인에게 시는 업보業報가 된다. 시작詩作에 있어 늦깎이가 있을까. 비록 문단이란 곳에 늦게 발을 들여

놓았을 뿐이지 시의 업보를 늦게 짊어진 것은 아니다. 궁리에 궁리를 거듭한 끝에 문을 두드렸으니 그 기다림의 시간이 길어진 것이다. 시인들끼리 둘러앉은 합평회라는 것이 때로는 사람을 초라하게 만든다. 웃자란 언어들 위로 예리한 예초기가 지나간다. 시작이 '필생의 꿈'이라면 어쩔 수 없다.

한 장인匠人은 그냥 태어나지 않는다. 장인은 살아온 세월만큼이나 억세어진 굳은살로 섬세하고 정교한 장도를 만드는 일을 익혀간다. 한 수의 시조를 창작하는 일도 공방에서 묵묵히 쇳조각들을 이리저리 맞추고 때우는 일을 끊임없이 되풀이하는 것과 같다. 때리고 담금질을 계속하다 보면 어떤 것은 칼날로, 또 어떤 것은 칼집으로 그 형태를 갖추어가는 것이다. 그래서 시를 쓴다고 하지 않고 빚는다고 하지 않던가. 이제 싫든 좋든 그 길에 들었으니 완성을 향해 걸어가야 한다. 사면발니 같은 바램이 풀은 되지 않겠다는 의지를 표출한 작품이다.

덮는다고 덮이더냐
지운다고 지워지더냐

계절이 돌아오면 어김없이 찾아와

내 안에

소년이던 너
풀꽃으로 앉아 있네

파내고 파내어도
다시 돋는 사랑아

네 뿌리가 차지한 내 작은 영토에서

나는 또
헛된 호미질로
아프게 너를 도려낸다
- 「토끼풀」 전문

    우리가 도려내야 할 인연들이 어디 한두 가지인가. 아스
팔트로 덮어도 돋아날 풀은 돋아난다. 전정가위나 낫이 아
무리 많아도 풀을 어찌 이길 것인가. 군더더기는 잘라내어
도 완전히 정리되지 않는다. 우리네 인연법이 그렇듯 작품
하나 빚어내는 일도 마찬가지다. 아픈 손가락의 인연으로
가슴에 새겨진 누군가라면 잘라내어도 언제 그랬냐는 듯
오롯이 앉아 있다. '바랭이'도 '매미'도 아무리 잘라내어도
'헛된 호미질'이 되고 만다. 차라리 도려내기보다 새로운
생명으로 키워내는 것이 더 좋지 않으랴. 시인은 사무치게
그런 역설을 노래한다.

간절함은 시집 군데군데 묻어있다. '기도가 간절하면/촛농도 꽃 핀다던데'(견성암, 참꽃), '객혈로 죽은 마술사/홑청에 묻은 그것//철 지난 울타리에서/되살아난/생의 비의悲意.'(넝쿨 장미), '길고양이 네 마리가 엉덩이 바짝 붙이며//춥다고/오래 견디자고/몸을 서로 나눕니다'(양지 뜸) 등 읽으면 읽을수록 간절한 소망이 드러나는 작품들이 많이 보인다.

제4막 – 현장을 비추는 카메라

탈 없이 뚜벅뚜벅 교대시간 올 텐데
뜰수록 감기는 눈, 멀어지는 밥물소리
한 나절 다 지나도록
그저 그리운 집

터널 지나 또 터널 교대 없는 세상 속으로
7호선 아득한 갱도 영생의 꽃길인 양
무사고 오십만 킬로
별을 찾아 나서던 길

대공원 승무사업소 화폭을 배경으로
허기를 달래려던 가방 하나 남긴다
사발면 귤 대여섯 개

낡은 지갑
생수병 하나
- 「오브제」 전문

이제 무대는 다시 바뀌어 오늘을 사는 현실과 이웃들의 현장을 비춘다. 조금 살풍경하지만 하루하루 힘든 하루를 사는 이 시대의 초상화를 그려낸다. 그저 오늘 하루가 무탈하기를, 아니 교대시간까지의 몇 분이 무사히 지나갔으면 하는 바람으로 사는 사람들을 조명한다. 누구나 삶의 방식이 다르고 처해진 환경이 다르기에 대부분 나와 다른 이들의 삶에 대해서는 무관심하다. 특이한 것은 예측하지 못한 죽음과 마주했을 때 비로소 관심을 갖게 된다. 물론 이런 관심 또한 시간이 지나면 자연스레 소멸되고 만다.

이 작품은 서울 지하철 7호선 기관사의 죽음을 시화한 것이다. 우리를 목적지까지 실어다 주는 기관사의 하루는 대부분 지하에서 시작되고 지하에서 끝난다. 사인은 급성 뇌출혈. 그가 두고 간 가방 속엔 사발면, 귤 몇 개, 지갑, 생수병 하나가 들어 있었다. 굳이 이것들을 '오브제'라고 제목을 붙인 이유는 무엇일까. 아무 의미 없는 사물들을 작품 속에 가져옴으로써 새로운 인식에 이르게 하는 장치. 기관사가 남긴 것들을 마지막 수 종장에 배치하여 갱도에서 맞은 죽음의 안타까움을 더욱 처연하게 그려내고자 한 것이 아닐까.

'유기견을 포획합니다'
현수막이 내걸리자
공무원 열 댓 명이 포획 틀을 설치했다
드론이 눈에 불을 켜고 그들을 찾아 나섰다

쫓고 쫓기는 자의 사나흘 잡기놀이
샤브샤브 거리 지나 컨테이너 돌고 돌아
막다른 골목길에서 사무치게 살고 싶었다

숨 가쁜 무연고자의 퇴로를 열어주며
울울창창 대숲이 무한정 흔들렸다
아무 일 없었다는 듯 새들 높이 날았다
－「숨바꼭질」전문

시절가조는 현실 반영이 중요하다. 반려견과 유기 견은 이미 시대의 화두가 되었다. 유기 견을 잡는 광경은 주로 영상에서 다뤄지는데 시조 속에 옮겨 놓고 보니 더 생동감이 느껴진다. 유기 견과 무연고자의 조합이 절묘하다. 유기 견을 포획하기 위해 공무원에 드론이 동원되고 한 사나흘씩 시끌벅적하지만 무연고자의 죽음은 신문 한 줄에도 나지 않는다. 개보다 못한 사람 신세가 무연고자라면 인생은 참 덧없다. 셋째 수 종장을 무연고자의 경우로 읽는다면 현실은 더욱 그러하다. 이런 현장성에 눈길을 준 작품은 이 작품 외에도 많다.

제5막 - 촛불의 시간, 밀랍꽃의 개화

펜치를 잡은 그 일
그것이 문제였다
두 손으로 마음껏 못을 잡아 당겼는데
애꿎은 앞 이빨 두 개
사리처럼 쏟아졌다

전동 드릴 전동 드릴 노래처럼 불러도
타점이 늘 서툰 그는 망치로 자기를 쳤다
삐딱한
대가리들이
갸웃 갸웃 웃었다

나에겐 늘 남자였고
남자이고 싶은 그가
이제는 무사처럼 세라믹 칼을 찼다
두 개의 못대가리가
고관절에서 반짝인다
- 「못대가리」 전문

다시 무대는 가족과 시인 내면의 이야기로 돌아왔다. 자식과 어버이 사이나 생과 사의 시선이 아닌, 평범한 일상의 시간이다. 감정을 걷어내고 담담히 있는 그대로의 삶을 그려내고 있어 더 편안하다. 못질이나 전기 고치는 일 등의 집안일을 잘못하는 남자들이 있다. 이 작품에 등장하는 남자도 그런 이 중의 한 사람이다. 펜치를 잡고 못을 뺀다는 것이 그만 앞니 두 개를 쏟는 대형 사고를 치고 만 것이다. 왜 못은 늘 그를 난처하게 만들었을까. 못대가리가 그의 남성성을 비웃은 것일까. 등장인물은 결국 인공 고관절 수술을 받으며 골반에 세라믹을 장착하게 되고, 두 개의 못대가리가 그의 남성성을 고정해 주고 있다. 몸속에 쇠를 박았으니 그는 이제 진정한 무사로 거듭난 것이다.

애써 만들어 내지 않고 그저 있는 그대로의 묘사가 좋다. 자칫 이런 작품은 시적 장치의 결함으로 인해 문학성을 잃을 우려가 있는데 전혀 그렇지 않다. 상황과 상황의 연속을 통해 자연스럽게 이야기를 전개한다. 은유로 가리기보다 직접적인 사실의 전달에 치중했지만 완성도 있는 시조가 된다. 어떤가, 이런 역설이 유쾌하지 않은가. 적당한 유머로 독자를 이끌고 있어 독자들을 절로 미소 짓게 한다.

> 당신의 숨결 따라 후회 몇 번 다녀가고
> 수없이 죽었다 다시 태어날 동안
> 몸속에 우물 하나가 말랐다 또 생기고

한가득 은밀하게 불춤이 끝날 때까지
나는 오직 둥글게 몸을 감싸 안겠네
바람의 솔기를 꿰매어 안감을 다독이겠네

고백하지 못했던 수많은 내가 녹아
흔들린 시간만큼 가라앉아 굳은 무렵
한 송이 밀랍꽃으로 내생來生을 피우겠네
- 「촛불의 시간」 전문

이 작품은 황영숙 시조의 경지를 한 단계 더 끌어올린
작품이다. 바랭이 풀 같은 사념들을 걷어내고 조용히 결을
다독이며 내면을 향한다. 시조 본령의 형식을 충실히 지키
면서 음보와 구를 섬세하게 조율하고, 장과 장의 호흡을 일
정하게 고른다. 물론 촛불의 의미를 떠올리며 말이다. 자신
을 태워서 주위를 밝게 하는 촛불에다 생명의 고리를 비춰
보는 심성은 타고난 성정인 듯하다. 3수의 행간에 흐르는
서정의 빛깔은 한결 안정되고 세련된 보법을 취한다.

몸속의 우물은 마르기도 하고 샘솟기도 한다. 갈구가 깊
을수록 우물은 말라간다. 하지만 침묵의 시간이 길어지면
우물엔 다시 물이 고인다. 그 우물은 상념일 수도 있고, 시
심詩心일 수도 있다. 완성을 위한 탐구는 언제나 목마르다.
촛불의 다비식이 끝날 때까지 '둥글게 몸을 감싸 안'으며
불춤의 향연을 멈추지 않아야 한다. '내 안에서 수없이 죽

었다 다시 태어'나는 존재들은 진흙 밭에서 피우는 한 송이 연꽃처럼 환희를 노래한다. 밀랍꽃의 개화는 내생을 향한 마지막 몸부림이다.

막을 닫으며 - 시인과 딸, 상상력의 교감

갤러리 문을 열면 물소리가 들린다/힘줄이 느슨해진 할머니와 어머니와/아직은 힘이 팔팔한 오빠의 오줌소리//실개천으로 흐르다 강이 되어 만난다/다시 흘러 바다로 가는 먼 먼 여행길을/서로가 한 몸이 되어 뜨겁게 출렁인다
- 「석동 1402호」 부분

막이 닫히기 직전 조명은 작은 요강 하나를 비춘다. 스피커에선 물소리가 난다. 우리가 흔히 듣던 소변보는 소리와 물 내리는 소리가 들린다. 차츰 조명은 넓게 퍼지면서 집안 전체를 비춘다. '석동 1402호'는 시인이 사는 집이며 시인의 딸이 NURTURart,Brooklyn,NY에서 전시한 개인전 제목이기도 하다. 앞서 밝혔듯이 같은 제목으로 어머니는 시조를 짓고 딸은 미술작품 전시회를 연다. 오브제로 사용된 요강 속으로 강물이 흐른다. 건강한 소리와 힘이 다한 소리가 함께 섞여 있다. 귀를 더 기울여 들어 보면 강물과 함께 세월 흘러가는 소리도 들린다.

황영숙의 두 번째 시집 『매일 아침 매일 저녁』은 시인 혼

자만의 것이 아니라 3대가 함께 쓴 시집이라 해도 과언이 아니다. 시인과 딸은 상상력을 교감한다. 서로에게 전이된 상상력은 장르가 다른 작품으로 다시 태어난다. 진해 '석동 1402호'는 시집 속에도 있고, 뉴욕 브루클린에도 있다. 황영숙 시인에게 있어 가족은 시심의 원천이며 하나의 우주다. 가족을 중심으로 산자와 죽은 자, 동물과 식물, 조명되지 않는 이웃과 장소와의 관계 맺기를 하고 있다. 그렇다면 그녀의 우주는 얼마나 더 확장될까. 다음 연극에서 펼쳐 질 그녀의 또 다른 우주를 상상해 본다.

　책장을 덮는 음향효과와 함께 조용히 불이 꺼지고 관객들은 퇴장을 준비한다.